D0581933

Der Bücherbär
Eine Geschichte für Erstleser

KNISTERnde Spannung

Guten Tag.

Ich bin KNISTER, der die **Hexe Lilli** geschrieben hat. Ich möchte euch gerne mehr über meine Bücher erzählen. Die schreibe ich übrigens mit dem Computer: einem großen, der bei mir zu Hause steht, und einem kleinen auf einem Segelboot.

KNISTER im Internet!
Mit KNISTER Spieleseiten!

www.knister.de

Für den Arena Verlag habe ich inzwischen einen ganzen Stapel spannender Bücher verfasst:

- **Hexe Lilli Mit vielen Büchern aus der Erfolgsserie**
- **Wer verflixt ist Yoko?**
- **Yoko mischt die Schule auf**
- **Yoko und die Gruselnacht im Klassenzimmer**
- **Viel Wirbel um Yoko**
- **Teppichpiloten**
- **Teppichpiloten starten durch**
- **Teppichpiloten mit Geheimauftrag**
- **Teppichpiloten erobern den Weltraum**
- **Bröselmann und das Steinzeit-Ei**
- **Die Reiter des eisernen Drachen**
- **Willi Wirsing**
- **Alles Spagetti**
- **Wo ist mein Schuh? fragt die Kuh**
- **Knuspermaus im Weihnachtshaus**
- **Nikolauskrimi**

Meine Taschenbücher:

- **Die Sockensuchmaschine**
- **Willi Wirsing**
- **Lilli the Witch- Trouble at School**
- **Der Krimi vom Weihnachtsmann**

Arena

KNISTER

Hexe Lilli feiert Geburtstag

Mit farbigen Bildern von Birgit Rieger

EDITION BÜCHERBÄR

In neuer Rechtschreibung

11. Auflage 2004

Einband und Illustrationen: Birgit Rieger
Gesamtherstellung: Westermann Druck Zwickau GmbH
ISBN 3-401-07544-6

Das ist Lilli.
Lilli hat ein Buch,
ein ganz besonderes Buch.
Ein Hexenbuch.
Eines Tages
lag es neben ihrem Bett,
einfach so.
Im Hexenbuch
stehen tolle Zaubereien
und wilde Hexentricks.
Von mancher Hexerei
wird auch
in diesem Buch berichtet.

Aber mach sie bloß nicht nach!
Hast du nur ein Wort
falsch gelesen,
wird Zahnbürste zum Hexenbesen.
Aus Lehrerin wird böser Schurke.
Aus Eis am Stiel
wird saure Gurke.
Lilli hat niemandem
von ihrem Buch erzählt.
Sie ist eine richtige Geheimhexe!
Lillis kleiner Bruder heißt Leon.
Er geht ihr manchmal
ganz schön auf die Nerven.
Lilli hat ihn aber
trotzdem sehr lieb.

Schwere Rechenaufgaben

In zwei Wochen
hat Leon Geburtstag.
Er kann es kaum erwarten.
Dreimal am Tag nervt er Lilli
mit der gleichen Frage:
„Wie lange dauert es noch?“
Weil Leon ihr
so auf die Nerven fällt,

gibt Lilli ihm
komische Antworten:
„Bis zu deinem Geburtstag
musst du
noch dreihundertmal gähnen.“

Oder:
„Du musst noch mindestens
sechsunddreißig Butterbrote essen."
Oder:
„Du musst noch
hundertmal aufs Klo
und siebenundzwanzigmal
die Zähne putzen."

„Puh!“, sagt Leon.
So weit kann er nicht zählen
und rechnen schon gar nicht.
Aber Lilli hat ihr Ziel erreicht:
Leon verschwindet
in seinem Zimmer.

Wenig später
kommt Mama.
Sie hält einen Brief
in der Hand
und sieht sehr besorgt aus.
„Lilli, ich brauche deinen Rat“,
sagt sie mit einem Seufzer.
Lilli ist stolz,
dass Mama sie um Rat bittet.
„Was ist denn los?“,
fragt Lilli.

Mama setzt sich
neben sie aufs Kinderbett
und reicht ihr den Brief.
Lilli überfliegt die Zeilen.

In dem Brief steht,
dass Mama an einem Computerkurs
teilnehmen darf.
Der Kurs
findet an einem Wochenende statt.
Lilli fragt:
„Wo ist das Problem?“

„Das Datum!“,
sagt Mama
und ihre Stimme
klingt richtig verzweifelt.
Lilli pfeift durch die Zähne.
Stimmt!
Der Kurs
fällt genau auf Leons Geburtstag!
Und den will Leon
natürlich feiern.

Große Kinderparty
mit allem Drum und Dran!
Wirklich Pech.
„Es ist wie verhext“,
stöhnt Mama.
„Ausgerechnet an
diesem Wochenende.
Ich hatte mich so
auf den Kurs gefreut.“
Enttäuscht faltet sie
den Brief wieder zusammen.
„Und Papa kann auch nicht
mit Leon feiern.
Der ist auf
Geschäftsreise.“
Was tun?

Lilli streichelt Mama
über den Arm.
Sie würde so gern helfen,
aber es ist wirklich wie verhext.
Einer von beiden
wird enttäuscht sein:
Entweder Mama,
weil sie nicht zum Kurs gehen kann,
oder Leon,
weil aus seiner Feier
vorerst nichts wird.

Die rettende Idee

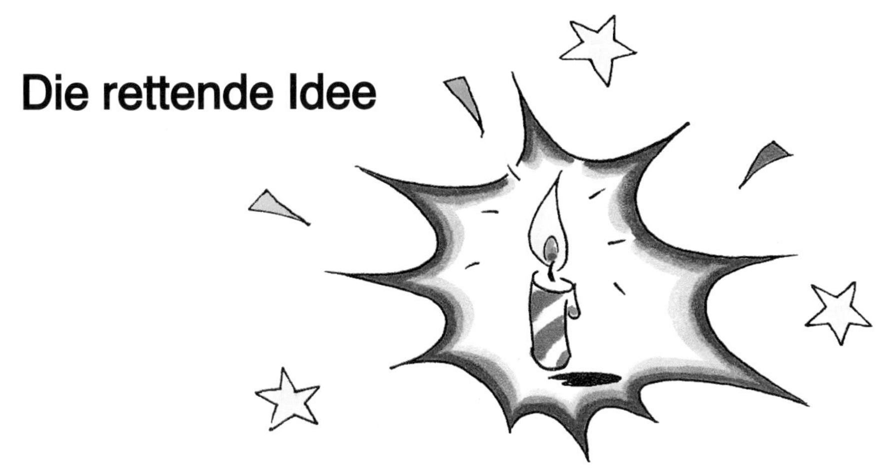

Lilli sucht nach einem Ausweg.
Sie fragt:
„Und was ist mit Tante Elli?
Könnte die nicht kommen?“
„Ich hab sie schon angerufen“,
sagt Mama.
„Sie würde bei euch bleiben.
Aber Leons Geburtstagsfeier
kann ich ihr nicht zumuten.“
Da hat Mama leider Recht.
Tante Elli ist zwar nett,
aber etwas anstrengend.

Sie hat selbst keine Kinder
und kennt sich überhaupt nicht aus.
Immer behandelt sie Lilli und Leon,
als ob sie noch Säuglinge wären.
Im vergangenen Jahr
hat sie Leon eine Rassel geschenkt.
Eine echte Babyrassel!

Nur, weil sie die so süüüüß fand.
Leon hat aus der Rassel
eine Zwille gebaut.
Damit kann man
Papierkugeln schießen.
Natürlich hat er das Ding
erst gebastelt,
nachdem
Tante Elli wieder weg war.
Wenn die wüsste . . .
Lilli hat eine Idee.
Sie schlägt vor:
„Wenn Tante Elli kommt,
könnte ich doch
die Party schmeißen!“
Mama zweifelt.

„Also, ich weiß nicht . . . “
„Aber ich weiß!“,
meint Lilli.
„Bitte! Lass es mich versuchen!“,
bettelt sie.

„Vielleicht hast du Recht“,
sagt Mama nachdenklich.
„Es wäre nur
die Feier am Nachmittag.
Am Abend bin ich ja zurück.
Und wenn Elli aufpasst . . .“
„Ich übernehme die Spiele,
und du backst Kuchen!“,
ruft Lilli begeistert.
„Klingt wirklich
nicht schlecht!“,
muss auch Mama zugeben.

Die Frage ist nur:
Was wird Leon dazu sagen?
„Los! Wir fragen ihn sofort“,
schlägt Lilli vor.
„Er soll entscheiden!“

Und wie entscheidet Leon?
Natürlich ist er einverstanden!
Hauptsache,
seine Feier fällt nicht aus.
Abgemacht.

Spannende Vorbereitungen

Nun hat Lilli
keine ruhige Minute mehr.
Andauernd
löchert Leon sie
mit Fragen:
„Was hast du dir ausgedacht?
Welche Spiele spielen wir?
Machen wir was Spannendes?
Und gibt es auch Topfschlagen?“
Lilli ist ungeduldig.
„Du wirst schon sehen!“,
meint sie seelenruhig.

„Große Überraschung!‘
Doch Leon lässt
einfach nicht locker.
„Bei welchem Spiel darf denn
Tante Elli mitspielen?“
Jetzt wird es Lilli
dann doch zu bunt.
„Bei dem schönen Spiel:
Jetzt nehmen wir die Tante hoch!“,
sagt sie schnippisch.
Damit Leon endlich Ruhe gibt!
Aber jetzt ist Leon
erst richtig neugierig.

„Und wie kriegen wir
die Tante hoch?“,
fragt er mit großen Augen.
„Ich meine . . .
sie ist doch ziemlich schwer!“
Lilli lacht.
„Mit acht Leuten,
die so stark sind wie du,
sollten wir die Tante
wohl hochnehmen können!“

„Wahnsinn!“
Leon ist begeistert.
„Und dann?
Was ist,
wenn wir sie hoch haben?“
Lilli grinst.
„Na, überleg doch mal!
Dann geht die Post ab!
Die Bude ist sturmfrei,
und wir lassen die Sau raus!“
Leon macht Kulleraugen.
„Die Sau?
Wo kommt die denn her?
War die irgendwo drin?“
„Klaro!“,
ruft Lilli ausgelassen,
schnappt sich ihren kleinen Bruder,
und tanzt mit ihm durchs Zimmer.

„Wir lassen die Puppen tanzen!
Hauen so richtig auf die Pauke!
Lassen die Sau raus!
Das wird ein Fest!"
Leon ist nicht mehr zu halten.
Das muss er Mama erzählen!

Von so einem Spiel
hat er noch nie gehört.
Ein Spiel mit echten Schweinen!
Er stürmt in die Küche.
Wenig später
erscheint Mama mit Leon
in Lillis Zimmer.
„Was hast du Leon
da für einen Unsinn erzählt?"
„Wer? Ich?",
fragt Lilli ganz unschuldig
und zuckt mit den Achseln.

„Los, erzähl schon!“,
fordert Leon
seine Schwester begeistert auf.
„Erzähl, was wir
mit Tante Elli machen!“
„Mit Tante Elli?“
Lilli spielt immer noch
die Unwissende.
„Erzähl!“, drängt Leon.
„Du hast gesagt,
wir lassen die Puppen raus
und die Sau tanzen!

Wir hauen so richtig auf die Post
und lassen die Pauke abgehen!"
Jetzt muss auch Mama lachen,
weil Leon vor lauter Begeisterung
alles durcheinander bringt.
„Da hast du dir aber ganz schön
viel vorgenommen, Lilli!",
schmunzelt sie.
„Ihr werdet staunen,
so wahr ich Lilli heiße."

Die Überraschung

Endlich ist der große Tag da.
Mama und Papa haben
für Leon ein Fahrrad gekauft.
Mit einer riesigen roten Schleife
am Lenker
steht es am Frühstückstisch.
Leon strahlt.
Besonders als Papa anruft
und gratuliert.
„Mein Geschenk kriegst du erst
bei der Feier!“,
sagt Lilli geheimnisvoll.

Und was schenkt
Tante Elli?
Ein Schaukelpferd!
Zum Glück
darf Leon es umtauschen.
Er weiß auch schon
gegen was:
Inline-Skates!

Am Nachmittag
trudeln Leons Freunde ein.
Alle haben gute Laune.
Nur Tante Elli nicht.
Schon an der Haustür
fängt sie die Geburtstagsgäste ab
und schickt sie alle ins Bad.
„Erst einmal Hände waschen!
Wer nicht ordentlich gekämmt
aus dem Bad kommt,
muss zurück.“
„Was soll das?“, fragt Leon.
„Ich bin verantwortlich!“,
sagt Tante Elli.
„Es soll ordentlich zugehen
auf deiner Feier.“

Dann marschiert sie
ins Wohnzimmer,
um die Kaffeetafel zu decken.
Lilli will die Stimmung retten.
Sie verteilt
Luftschlangen und Tröten
an die Geburtstagsgäste.
Super!
Die Stimmung steigt.
Luftschlangen fliegen,
und es wird gelacht und getrötet,
dass es eine Freude ist.
Bis Tante Elli
erneut eingreift.
„Wie sieht es denn hier aus?
Und dieser Lärm!
Sofort aufhören!
Was sollen die Nachbarn denken?!“

Die Kinder
schauen sich betreten an.
„Ja, aber …“,
stammelt Lilli.
„Kein ja aber!“,
fällt Tante Elli
Lilli ins Wort.
„Jetzt wird
erst einmal
aufgeräumt!“
So hat Leon sich
seine Feier
nicht vorgestellt.
Er ist stocksauer.

Und Lilli erst recht.
Na warte, denkt sie
und verschwindet
in ihrem Zimmer.

Schon blättert sie
in ihrem geheimen Hexenbuch.
Das wäre doch gelacht . . .
„Da! Der Zauber könnte passen!“
Beim Buchstaben T wie Tante
findet sie:

»Teufeltau und Tantenwahn
gehn uns Hexen auf den Zahn.
Sag diesen Spruch –
und eins, zwei, drei
ist's mit der Nerverei vorbei.«
Lilli merkt sich
den nachfolgenden Spruch
und eilt zurück
in Leons Zimmer.
Dort hetzt Tante Elli
wie ein
aufgescheuchtes Huhn herum
und schwingt den Besen.
„Tante Elli,
komm doch bitte mal,
ich muss dir etwas zeigen!",
ruft Lilli.

Die Tante folgt Lilli
in Mutters Schlafzimmer.
„Was ist denn nun
schon wieder los?“,
will sie von Lilli wissen.
Schnell murmelt Lilli
den Zauberspruch.

Die Tante schläft tief und fest.

Das große Fest

Jetzt geht die Party richtig los!
„Was machen wir zuerst?“,
ruft Lilli.
„Topf schlagen!“,
brüllen die Kinder.
„Einverstanden!
Aber macht euch
auf was gefasst!“
Leon darf anfangen.
Lilli verbindet ihm
die Augen
und versteckt den Topf.

Darunter legt sie ihr Geschenk:
ein kleines Sparschwein.
Nun gibt sie ihrem Bruder
den Kochlöffel in die Hand.
„Los geht's, Leon!",
rufen die Kinder.
Leon krabbelt durch die Wohnung.
Begeistert schlägt er
mit dem Löffel um sich.

Lilli kann gerade noch
Mamas teure Blumenvase
und Papas Gummibaum
vor ihm retten.
Langsam nähert er sich dem Topf.
„Es wird warm!
Heiß!
Glühend heiß!“,
rufen die Kinder.

Lilli ruft nicht.
Sie flüstert.
Sie flüstert?
Na klar, einen Zauberspruch!
Und SCHWUPS
springt aus dem Topf
ein kleines Schwein
heraus.

Ein echtes,
quicklebendiges
Schweinchen!

Leon und seine Gäste
quieken vor Freude
mit dem Ferkel um die Wette!
Alle wollen es streicheln
und jagen ihm nach.

Es geht über den Tisch,
unter den Stühlen und
hinter dem Sofa hindurch.
Die Wohnung
sieht bald wüst aus.
Lilli hat kein gutes Gefühl.
Dass bloß nicht noch
irgendwas kaputtgeht!
Auf keinen Fall will Lilli
ihre Mama enttäuschen.

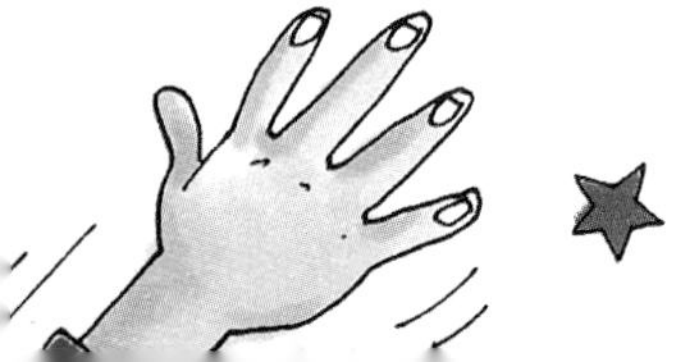

„Bitte nicht so wild!“, ruft sie.
„Und nicht so laut!“
Aber die Kinder hören Lilli gar nicht.
Sie toben ausgelassen,
immer wilder geht es zu.
„Jetzt hilft nur noch Hexerei“,
denkt Lilli.
„Los, Leute!“,
brüllt sie
in das Durcheinander.
„Jetzt lassen wir
die Puppen tanzen!“

Und was ist das?
In Lillis Zimmer
beginnen die Puppen und Stofftiere
tatsächlich zu tanzen.
Da lassen sich die
Gäste gar nicht lange bitten.

Sie fassen sich
bei den Händen,
nehmen die Puppen
zwischen sich und
tanzen Ringelreihen.

Da geht plötzlich
die Haustürglocke.
Erschreckt schaut Lilli
auf die Uhr.
Schon so spät!
Bestimmt kommen die ersten Eltern,
um ihre Kinder abzuholen.
Während die Kinder weitertanzen,
scheucht Lilli schnell
das Schweinchen
ins Schlafzimmer.
Dann eilt sie zur Tür.
„Überraschung!“,
sagt Mama,
als Lilli aufmacht.
Das ist wirklich eine Überraschung.
Mama ist viel früher zurück
als geplant!

„Hier sieht es ja wüst aus“,
sagt Mama,
als sie ins Wohnzimmer kommt.
Lilli kommt ins Stottern
„Ja, es ist nur, weil . . .“
Aber Leon stürmt heran:
„Mama! Mama!
Lilli ist die beste
große Schwester der Welt!
Das war voll das Superfest!“
„Und deine Gäste?“,
will Mama wissen.
„Die lassen die Puppen tanzen“,
ruft Leon begeistert.

Mama staunt nicht schlecht,
als sie in Lillis Zimmer kommt.
Immer noch tanzen die Kinder
im Kreis.
Sie sind so bei der Sache,
dass sie Leons Mama
gar nicht bemerken.
Sie bemerken aber auch nicht,
dass die Puppen
nicht mehr mittanzen.
Dafür hat Lilli
natürlich längst gesorgt.
Während Leon erzählt,
huscht Lilli ins Schlafzimmer.
Sie hat noch etwas Dringendes
zu erledigen.
Leon ist vor Begeisterung
kaum zu bremsen:

„Wir haben die Puppen
tanzen lassen!
Und wir haben echt
die Sau rausgelassen!
Komm, ich zeig's dir!"
Leon zerrt Mama ins Schlafzimmer.
Dort wird Tante Elli
gerade wach.
In ihren Armen hält sie
ein kleines Sparschwein.
Mutter sieht die gähnende Tante und
wundert sich:
„Also, wenn Tante Elli
sogar schlafen konnte,
ist es wohl doch nicht
so schlimm zugegangen.«

Sie lacht.
„Und die Sau,
die ihr rausgelassen habt,
hat sie ja schon wieder
eingefangen.“
Leon ist sprachlos.
Bevor er etwas sagen kann,
drückt Lilli ihm
das Sparschwein in die Hände.
„Mein Geschenk.
Achtung, gut festhalten,
sonst geht es laufen!“
Leon fragt: „Und . . . und . . .
ich meine . . .
wann lassen wir
die echte Sau
wieder raus?“

Lilli zwinkert Mama zu
und antwortet:
„Na, das nächste Mal,
wenn wir wieder auf die Post hauen
und die Pauke abgeht.“
Mutter streicht Lilli über den Kopf.
„Prima, dass alles
so ruhig verlaufen ist.
Danke Lilli.“

Na,
wenn die wüsste . . .

Hexe Lilli Erstlesebücher ab 6 Jahren

Hexe Lilli und der Vampir mit dem Wackelzahn

Hexe Lilli und der verrückte Ritter

Hexe Lilli zaubert Hausaufgaben
(Auch erhältlich in Schreibschrift und in Vereinfachter Ausgangsschrift.)

HALLO!
Ich bin die Hexe Lilli.
Besucht mich doch im INTERNET und schreibt mir in mein geheimes Hexenbuch.
Ich freu mich drauf!

Weitere Hexe Lilli-Abenteuer ab 8 Jahren:

Hexe Lilli stellt die Schule auf den Kopf
Hexe Lilli macht Zauberquatsch
Hexe Lilli und der Zirkuszauber
Hexe Lilli bei den Piraten
Hexe Lilli und der Weihnachtszauber
Hexe Lilli wird Detektivin
Hexe Lilli im wilden Wilden Westen
Hexe Lilli und das wilde Indianerabenteuer
Hexe Lilli im Fußballfieber
Hexe Lilli und das Geheimnis der Mumie
Hexe Lilli und das Geheimnis der versunkenen Welt
Hexe Lilli und das magische Schwert
Hexe Lilli auf Schloss Dracula
Hexe Lilli auf der Jagd nach dem verlorenen Schatz
Lilli the Witch – Trouble at School
Hexe Lillis geheime Zauberschule
Hexe Lilli Schulfreundebuch
Hexe Lilli Poesiealbum
Hexe Lilli Fan-Artikel (Radiergummis, Stempel, Notizbuch, Computerspiel ...)

Arena

★ KNISTER ★ im INTERNET! www.knister.de ★ KNISTER ★ im INTERNET! www.knister.de ★★